Rêver,

c'est si simple

C.P. 325, Succursale Rosemont
Montréal (Québec), Canada H1X 3B8
Téléphone: (514) 522-2244
Télécopieur: (514) 522-6301
Courrier électronique: pnadeau@edimag.com

Éditeur: Pierre Nadeau

Dépôt légal: premier trimestre 2000
Bibliothèque nationale du Québec
Bibliothèque nationale du Canada

Introduction

Il n'y a pas de rêve plus grand que celui d'espérer. Ceux qui ont fait le monde sont nos plus grands rêveurs. Tout ceux qui ont accompli quelque chose se sont permis de rêver qu'ils accompliraient quelque chose de grand. Ils n'ont pas eu tort, ils ont accompli beaucoup. Certains diront que cela était leur

Canada

Nous reconnaissons l'aide financière du gouvernement du Canada par l'entremise du Programme d'Aide au Développement de l'Industrie de l'Édition (PADIÉ) pour nos activités d'édition.

destinée, mais je demeure convaincu que sans le rêve, rien ne serait arrivé. Ce sont leurs rêves qui ont tracé leur chemin et leur destinée. Ceux qui perdent leurs rêves se retrouvent très rapidement insatisfaits et deviennent amers. Rêver, c'est vivre, et par le rêve nous est souvent révélé le chemin à suivre....

DISTRIBUTEURS EXCLUSIFS

Pour le Canada et les États-Unis
Les Messageries ADP
955, rue Amherst
Montréal (Québec) H2L 3K4
Téléphone: (514) 523-1182
Télécopieur: (514) 939-0406

Pour la Suisse
Transat S.A.
Route des Jeunes, 4 Ter
C.P. 1210
1 211 Genève 26
Téléphone: (41-22) 342-77-40
Télécopieur: (41-22) 343-46-46

Pour l'Amérique du Sud
Amikal
Santa Rosa 1840
1602 Buenos Aires, Argentine
Téléphone: (541) 795-3330
Télécopieur: (541) 796-4095

RÊVER,
c'est
l'essence
même
DE LA
VIE.

RÊVER,

c'est me donner des buts.

Rêver,

c'est **me**

permettre

d'aimer **encore**

plus.

RÊVER,

c'est comme
un bourgeon
dans mon esprit:

*il ne
demande
qu'à éclore.*

Rêver,

c'est espérer

que tout est possible.

Rêver,

*c'est me
permettre
de croire*
aux
lutins.

Rêver,
C'EST AIMER;

aimer

suffisamment

pour croire.

Rêver,

c'est m'imaginer à un autre endroit,

à une autre époque.

Rêver,

c'est planifier

mon
prochain
voyage.

Rêver,
c'est
partir
à
l'aventure.

Rêver,

c'est participer

à la fabrication

DU HASARD.

Rêver, c'est mettre de la

COULEUR

dans ma vie.

Rêver,

c'est

imaginer

ce que sera

l'avenir.

RÊVER,

c'est résoudre

des énigmes.

Rêver,

c'est partager mon bonheur.

RÊVER,

C'EST PLANIFIER DES SURPRISES POUR TOI.

Rêver,

c'est faire des choix

que
normalement

je ne ferais pas.

Rêver,

c'est **vivre** et **vivre,**

c'est **rêver**.

Rêver, c'est
savoir
qu'une bonne
fée
veille sur
moi.

Rêver,

c'est se **permettre de croire** au prince charmant.

RÊVER,

c'est lire un bon roman et **m'imaginer** en être le **personnage principal.**

Rêver,

c'est participer

À LA
PARADE,

plutôt que de

la regarder
passer.

Rêver, c'est faire toujours *de nouveaux projets.*

Rêver,
c'est utiliser
MON
INTUITION
pour que **CELA**
DEVIENNE
réalité.

RÊVER, **c'est espérer** que tu seras **toujours là**.

Rêver,

c'est chercher
le bon

côté
des
choses.

Rêver,

c'est FAIRE

son propre scénario.

RÊVER,

c'est
traverser
le désert.

Rêver,

c'est savoir que

mon ange gardien

me protège.

RÊVER, c'est scruter les étoiles

et savoir
interpréter
leurs messages.

RÊVER,

c'est ÊTRE TOUJOURS

à la recherche

d'un trésor.

Rêver,

c'est

composer

ma propre

musique.

RÊVER,

c'est escalader

les plus

hautes

MONTAGNES.

Rêver,

c'est savoir

se motiver

à chaque **JOUR**.

Rêver, c'est

devenir

l'astronaute

qui parcourt

l'espace.

Rêver,

c'est

que nous

ne serons **jamais**

SEULS.

Rêver, c'est me donner accès à la réalisation d'un rêve.

Rêver,
c'est espérer
recevoir autant
de tendresse
que j'en donne.

Rêver, c'est découvrir des **horizons** **nouveaux**.

RÊVER, c'est espérer que

TOUT
ME
SERA

PERMIS.

RÊVER,

c'est se permettre de toujours

GARDER ESPOIR.

RÊVER,

c'est savoir

REGARDER au-delà

des APPARENCES.

des APPARENCES.

des APPARENCES.

Rêver,
c'est renouer
avec
de vieilles
connaissances.

Rêver,

c'est

parcourir

les océans.

Rêver, c'est

*prendre les choses
une
à la fois,*

*et faire de
son mieux.*

Rêver,

c'est franchir **des**

obstacles.

Rêver,

c'est
trouver
l'amour

de.
sa vie.

Rêver,

c'est de relever toujours de

nouveaux défis.

RÊVER, c'est

TROUVER

LE

BONHEUR.

Rêver, c'est
savoir
m'émerveiller.

RÊVER,

c'est laisser **aux**

autres une

chance.

RÊVER,

c'est vaincre
ses angoisses.

RÊVER, *c'est vivre sa vie et non celle des autres.*

Rêver, c'est savoir

que ceux qui sont partis

m'aiment
toujours.

Rêver,

c'est

savoir **OUBLIER**.

Rêver,

c'est mettre **en quarantaine**

mes

FRUSTRATIONS.

Rêver, c'est

garder toujours

la foi.

RÊVER, c'est croire au

HASARD.

Rêver,

C'EST SIMPLE

et si facile,

quand

commencez-

vous?

Rêver, c'est **laisser VENIR** son **inspiration**.

Rêver, c'est être *l'artisan* de son bonheur.

Rêver,

c'est
à l'intérieur
de soi

que cela
commence.

Rêver,
c'est **accomplir**
un peu plus
chaque jour.

Rêver, c'est
se permettre
de devenir...

Rêver,

c'est regarder nos pensées se matérialiser.

Rêver,

c'est accepter

L'INATTENDU.

Rêver,
c'est
écouter son
intuition.

Rêver, c'est accomplir

plusieurs petits buts,

sachant qu'ils me rapprochent de plus en plus

d'un GROS but.

Rêver,
C'EST TROUVER
UN TRAVAIL
qui me donne
l'impression
de m'amuser.

Rêver,
c'est changer
sa réalité.

RÊVER,
c'est participer
à mon
ÉVOLUTION.

RÊVER,

c'est partir

À LA QUÊTE

de la VÉRITÉ.

Rêver, c'est **POSSÉDER la PAIX de L'ÂME.**

Rêver, c'est

reconnaître qu'il

n'y a pas

de

limites.

Rêver, c'est savourer la vie.

RÊVER, c'est utiliser

sa

conscience

et non **sa**

raison.

RÊVER,

C'EST ÉCLAIRER

LES JOURNÉES

TERNES

de ma vie.

Rêver,

C'EST M'OUVRIR LES PORTES DU SUCCÈS.

RÊVER, C'EST RÉALISER MES PASSIONS.

Rêver,

c'est trouver

l'âme soeur.

Rêver,

c'est vivre,

car quand tu arrêtes tout s'éteint.

RÊVER, c'est **CULTIVER** mes **PETITS BONHEURS.**

Rêver, c'est
permettre
à mon imagination
d'aller encore **plus**
loin.

Rêver,

c'est se

permettre

de choisir.

Rêver, c'est
ensoleiller
mes parties
d'ombre.

Rêver,

c'est
de s'attendre
à **toujours**
mieux.

RÊVER,

c'est se laisser

surprendre

AGRÉABLEMENT.

Rêver,

c'est suivre son destin.

Rêver,

c'est **reconnaître**

ses

QUALITÉS.

RÊVER,

c'est être persuadé

que Dieu

ne me veut
que du bien.

Rêver, c'est vivre un amour RÉCIPROQUE.

Rêver,

c'est écouter

la nature

qui nous parle.

Rêver,

c'est m'exprimer

toujours plus

chaque jour.

Rêver,

c'est éliminer

l'incertitude.

Rêver,

c'est
la seule

manière
de vivre.

Rêver,

c'est passer

à d'autres choses

et ne m'accrocher

à **rien**.

RÊVER,

C'EST
M'ESTIMER
DAVANTAGE.

RÊVER,

c'est découvrir
que les plus beaux
trésors
se cachent à
l'intérieur
de moi.

RÊVER, C'EST POSSÉDER L'ÉTERNITÉ.

RÊVER,

c'est savoir

s'inspirer

du

bonheur.

Rêver,

c'est

être flexible

avec **MOI-MÊME**.

Rêver,

c'est croire

en la nature

humaine.

Rêver,
c'est se créer
un NOUVEAU
mode de vie.

RÊVER,

c'est

FAÇONNER

ma vie

comme

je la **désire.**

Rêver,

c'est ouvrir
mon **coeur**
à la *bonté*.

Rêver,

c'est reconnaître
mon potentiel

divin.

Rêver, c'est être à **l'écoute** de mon *dialogue* **intérieur.**

Rêver, c'est
vivre ses
SENTIMENTS.

RÊVER,

c'est

ressentir

la vie

en *moi*.

RÊVER,

c'est

PRENDRE

un

INSTANT

pour moi.

Rêver, c'est visualiser ce que je désire.

Rêver un peu plus chaque **jour**, c'est l'assurance d'une vie meilleure.

Rêver,

c'est accomplir
pour **moi**

quelque chose

de **nouveau** et

de

merveilleux.

Rêver,
c'est laisser
libre cours
à ce que
je ressens.

Rêver,

c'est découvrir

l'extase.

Rêver, c'est savoir s'estimer à sa **juste valeur**.

Rêver, c'est créer **un équilibre** intérieur.

Rêver, c'est
laisser
nos peurs
et avoir
confiance.

Rêver, c'est laisser libre cours à l'attirance.

Rêver,

c'est se fixer

des petits

objectifs

chaque jour.

Rêver,

c'est être

indépendant.

RÊVER,

c'est
COMBATTRE
l'injustice.

Rêver,
c'est se créer un espace **d'intimité**.

Rêver,

c'est **unir**

les **énergies** de l'âme

à celles de

l'esprit.

RÊVER EST LA PREMIÈRE ÉTAPE, AGIR EST LA SECONDE.

Rêver,
C'EST AIMER
sans juger.

Rêver,

c'est

espérer
et non
désespérer.

Rêver, c'est avoir **la certitude** que je peux être **heureux**.

 **RÊVER**,

c'est planifier

son **MONDE**.

Rêver,
c'est fêter
à l'intérieur
de soi.

RÊVER, c'est **PARDON-NER** sans **RANCUNE**.

Rêver, c'est
exercer
ma *patience*.

RÊVER, c'est savoir me reposer.

RÊVER,

c'est

avancer à

chaque jour sans

TRÉBUCHER.

Rêver,

c'est découvrir

la **paix**

et

la **sérénité**.

Rêver,
c'est laisser
LIBRE COURS
à mes **pensées**.

Rêver,
c'est **vibrer**
en diapason
avec
l'univers.

 **Rêver,**

c'est attendre

et

espérer

sans

paniquer.

Rêver, c'est vivre des **expériences nouvelles.**

Rêver,

c'est devenir
conscient
de mes croyances.

RÊVER,
C'EST CRÉER
POUR
TRANSFORMER.

Rêver, c'est

apprendre

quelque

chose

CHAQUE JOUR.

Rêver, c'est s'offrir un

PARADIS
INTÉRIEUR.

Rêver, c'est **savoir** **que** mon **rêve deviendra réalité.**

Rêver,

c'est un *élan*
d'amour

du moi.

Rêver,

c'est désirer

SUFFISAMMENT.

Rêver,

c'est être

reconnais-sant

de ce que j'ai.

Rêver,

c'est me **permettre**

d'aller à la

rencontre

de mon

subconscient.

Rêver aujourd'hui,

c'est ouvrir

les yeux

mes **besoins**.

Rêver,

c'est

attendre

et être certain

de recevoir

un **cadeau**.

Rêver,

c'est **écrire**

et **extérioriser**

mon âme.

Rêver,

c'est **vivre**

et non EXISTER.

Rêver,

c'est penser

sans

m'inquiéter.

RÊVER,

c'est être
confiant

dans mes
CAPACITÉS.

Rêver,
c'est chercher
des solutions simples.

RÊVER,

c'est penser

au **chemin**

que j'ai déjà

parcouru.

Rêver,

C'EST PARLER DE
L'ABONDANCE

qui existe
pour tous.

RÊVER,

c'est me

REMÉMORER

mes réussites passées.

Rêver,

c'est penser librement

et *sans* **limites**.

RÊVER, c'est croire à L'ABONDANCE.

Rêver, **c'est devenir** sa propre source d'abondance.

Rêver, c'est être

conscient

de mes

valeurs.

Rêver, c'est avoir assez de **COURAGE** pour **CONTINUER** mon chemin.

Rêver,

c'est se

donner la

joie

de vivre.

RÊVER,

c'est bousculer
sa conscience
pour lui dicter
nos
BESOINS.

RÊVER,

c'est

s'ouvrir les

portes de la

réussite.

RÊVER, c'est dépasser le **STADE** de la **survie**.

RÊVER,

c'est découvrir

et *réaliser*

ma

mission.

Rêver, c'est **donner** et **recevoir** LIBREMENT.

Rêver, c'est

respecter

mon

sentiment

d'intégrité.

Rêver,

c'est être

conscient et

attentif.

Rêver, c'est **CROIRE** qu'il n'est **JAMAIS** trop tard, et **AGIR**.

Rêver, **c'est vivre** de ce que **j'aime faire**.

Rêver, c'est avoir des intentions claires et bien dirigées.

Rêver,

c'est exprimer ma gratitude.

Rêver, c'est se **permettre d'avoir** de la détermination.

RÊVER, c'est **SE SERVIR** de son *inspiration*.

Rêver,

c'est

découvrir

son

identité
réelle.

Rêver,

c'est AGIR

avec

ASSURANCE.

Rêver,
c'est se permettre
de **changer**
le monde.

RÊVER,

C'EST

PRENDRE
LE TEMPS

DE SE
RÉALISER.

Rêver,

c'est aller chercher
les forces nécessaires
pour
s'accomplir.

RÊVER,

c'est ATTEINDRE
ce que
je crois
possible.

Rêver, **c'est**
être libre
comme le PAPILLON.

Rêver,

c'est aller

à la

découverte

de mes

aspirations.

Rêver, c'est **S'ALLIER** les **FORCES DE L'ÂME** pour persuader **l'esprit**.

Rêver,

c'est

comprendre

le monde.

RÊVER,

*c'est donner
la parole
à tes
sentiments
les plus
profonds.*

Rêver,

c'est
tout simplement
humain.

Rêver, c'est être
heureux
au-delà

du
temps et
de
l'espace.

Rêver, c'est **exprimer** son **amitié** à **l'univers**.

RÊVER,

c'est **participer**
à la réalisation
de mes **projets**.

RÊVER,

c'est découvrir ma propre PUISSANCE.

RÊVER,

c'est se laisser
guider

par l'âme.

RÊVER, c'est changer son **HIVER** en *printemps*.

Enseigner à rêver,
c'est **ouvrir**
l'espoir
dans des *cœurs*
qui avaient perdu
confiance.

Rêver nous conduit aux miracles.

Rêver,

c'est assister **au** **duel** de **l'âme** et de **l'esprit**.

Conclusion

Le rêve fera toujours partie de nous. Il est un élément essentiel à notre vie. Arrêter de rêver équivaut à mourir, car qui tue ses rêves se tue lui-même. Rêver c'est se permettre une multitude de choses. N'oubliez jamais que des plus grands rêves nous viennent nos plus grandes réalisations. Si des hommes et des femmes n'avaient pas rêvé un jour, nous en serions encore à l'âge de pierre.

Rêver est et sera toujours ce que l'homme fera de plus grand, car de ses rêves provient tout ce qu'il est et sera.

Rêver c'est se permettre de participer à l'évolution de l'univers.